文徵明行草千字文

中華經典碑帖彩色放大本 七七

中華書局

千字文

天地玄黃，宇宙洪荒。日／月盈昃，辰宿列張。寒來／暑往，秋收冬藏。閏餘成／歲，律呂調陽。雲騰致雨，／

露結為霜。金生麗水，玉／出崐岡。劍號巨闕，珠稱／夜光。菓珍李柰，菜重芥／薑。海鹹河淡，鱗潛羽翔。／龍師火帝，鳥官人皇。始／

制文字乃服衣裳推位
讓國有虞陶唐弔民伐
罪周發殷湯坐朝問道
垂拱平章愛育黎首臣
伏戎羌遐邇壹體率賓

制文字，乃服衣裳。推位／讓國，有虞陶唐。弔民伐／罪，周發殷湯。坐朝問道，／垂拱平章。愛育黎首，臣／伏戎羌。遐邇壹體，率賓／

歸王。鳴鳳在竹，白駒食／場。化被草木，賴及萬方。／蓋此身髮，四大五常。恭／惟鞠養，豈敢毀傷。女慕／貞絜，男效才良。知過必／

改，得能莫忘。罔談彼短，／靡恃己長。信使可覆，／器欲難量。墨悲絲染，詩／讚羔羊。景行維賢，剋念／作聖。德建名立，形端表正。／

空谷傳聲，虛堂習聽。禍／因惡積，福緣善慶。尺璧／非寶，寸陰是競。資父事／君，曰嚴與敬。孝當竭力，／忠則盡命。臨深履薄，夙／

與溫清。似蘭斯馨，如松/之盛。川流不息，淵澄取暎。/容止若思，言辭安定。篤/初誠美，慎終宜令。榮業/所基，藉甚無竟。學優登/

仕，攝職從政。存以甘棠，去／而益詠。樂殊貴賤，禮別／尊卑。上和下睦，夫唱婦／隨。外受傅訓，入奉母儀。／諸姑伯叔，猶子比兒。孔懷／

兄弟，同氣連枝。交友投／分，切磨箴規。仁慈隱惻，／造次弗離。節義廉退，／顛沛匪虧。性靜情逸，心／動神疲。守真志滿，逐物／

意移。堅持雅操，好爵自／縻。都邑華夏，東西二京。／背邙面洛，浮渭據涇。宫／殿盤鬱，樓觀飛驚。圖／寫禽獸，畫綵僊靈。丙／

舍傍啓，甲帳對楹。肆筵／設席，鼓瑟吹笙。升階納／陛，弁轉疑星。右通廣內，／左達承明。既集墳典，亦／聚羣英。杜藁鍾隸，漆／

書壁經。府羅將相，路夾／槐卿。户封八縣，家給千兵。／高冠陪輦，驅轂振纓。／世禄侈富，車駕肥輕。策／功茂實，勒碑刻銘。磻溪／

伊尹，佐時阿衡。奄宅曲／阜，微旦孰營。桓公匡合，／濟弱扶傾。綺迴漢惠，説／感武丁。俊乂密勿，多士寔／寧。晉楚更霸，趙魏困／

橫。假途滅虢，踐土會盟。／何遵約法，韓弊煩刑。起／翦頗牧，用軍最精。宣／威沙漠，馳譽丹青。九州／禹跡，百郡秦并。嶽宗／

橫假途滅虢踐土會盟

何遵約法韓弊煩刑起

翦頗牧用軍最精宣

威沙漠馳譽丹青九州

禹跡百郡秦并嶽宗

恒岱，禪主云亭。鴈門紫／塞，鷄田赤城。昆池碣石，／鉅野洞庭。曠遠緜邈，／巖岫杳冥。治本於農，／務茲稼穡。俶載南畝，我／

藝黍稷。稅熟貢新，勸／賞黜陟。孟軻敦素，史魚／秉直。庶幾中庸，勞謙／謹勑。聆音察理，鑑貌辯／色。貽厥嘉猷，勉其祗植。／

省躬譏誡，寵增抗極。殆／辱近恥，林皋幸即。兩疏／見機，解組誰逼。索居閒／處，沉默寂寥。求古尋論，／散慮逍遥。欣奏累遣，戚／

謝歡招。渠荷的歷，園莽/抽條。枇杷晚翠，梧桐早/彫。陳根委翳，落葉飄/颻。遊鵾獨運，凌摩絳霄。/躭讀翫市，寓目囊箱。易/

輶攸畏，屬耳垣牆。具膳／飡飯，適口充腸。飽飫烹／宰，飢厭糟糠。親戚故舊，／老少異粮。妾御績紡，侍／巾幃房。紈扇圓潔，銀燭／

煒煌晝眠夕寐籃筍
象牀絃歌酒讌接杯舉
觴矯手頓足悅豫且康嫡
後嗣續祭祀蒸嘗稽顙
再拜悚懼恐惶牋牒簡

煒煌。晝眠夕寐，籃筍／象牀。絃歌酒讌，接杯舉／觴。矯手頓足，悅豫且康。嫡／後嗣續，祭祀蒸嘗。稽顙／再拜，悚懼恐惶。牋牒簡／

要，顧答審詳。骸垢想浴，／執熱願凉。驢騾犢特，駭／躍超驤。誅斬賊盜，捕獲／叛亡。布射遼丸，嵇琴阮／嘯。恬筆倫帋，鈞巧任鈞。／

釋紛利俗，並皆佳妙。毛／施淑姿，工顰妍咲。年矢／每催，羲暉朗曜。旋璣、懸斡，晦魄環照。指薪修／祜，永綏吉劭。矩步引領，／

俯仰廊廟。束帶矜莊，徘徊瞻眺。孤陋寡聞，愚蒙等誚。謂語助者，焉、哉乎也。嘉靖乙巳八月十日玉磬

俯仰廊廟。束帶矜莊，／徘徊瞻眺。孤陋寡聞，愚／蒙等誚。謂語助者，焉、哉乎也。／嘉靖乙巳八月十日玉磬／